蒙學善本

國家圖書館藏·蒙學善本

書言故事大全

第十册

鳳凰出版社

戴星而出

傍花隨柳

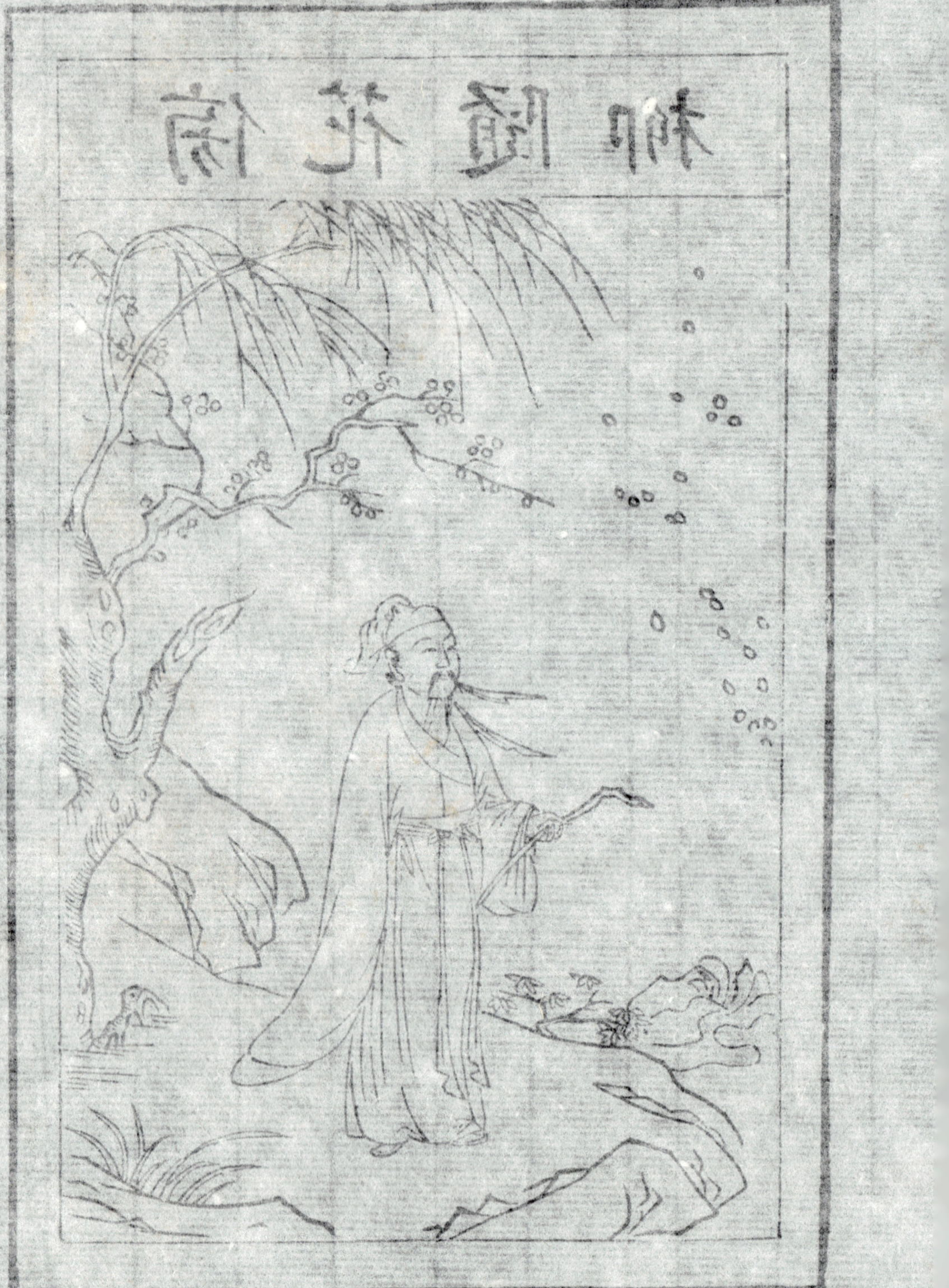
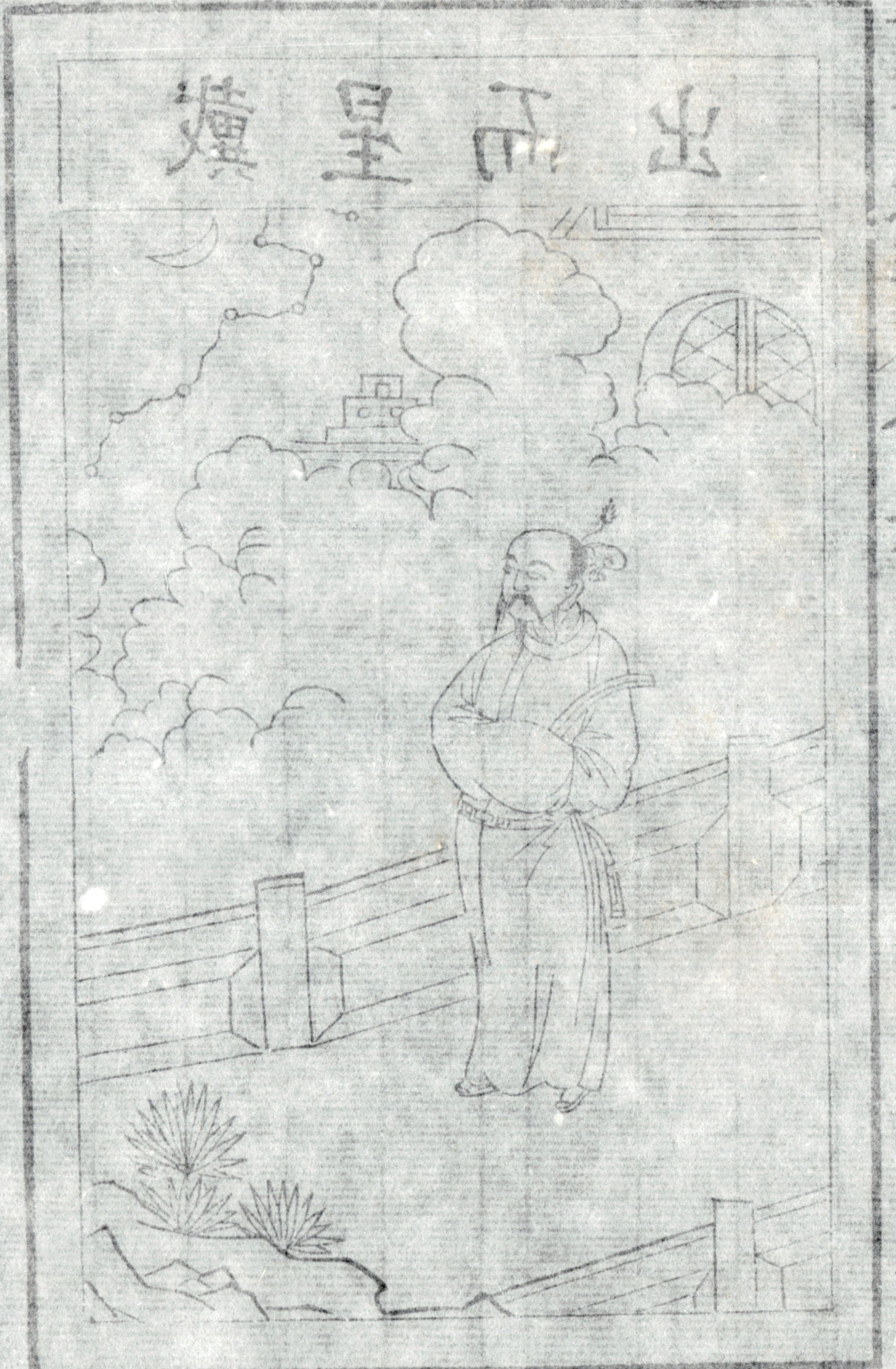

書言故事大全卷之十

廬陵　胡繼宗　集

安成　陳玩直　解

○天文類

鴻濛混沌（混沌並上声）天地未判曰鴻濛（曆紀）未有天地之時。混沌如雞子（混沌者陰陽未分之象）溟（音茗）涬（音荇）始芽（溟涬自然之氣又混沌貌）鴻濛滋萌（鴻濛廣大自然之氣）

太極（漢律曆）太極元氣函三為一（函包也。三者天地人也）極中也。元始也

蟻旋磨事會相左曰。如蟻旋磨（晉書）日月東行天西行。如蟻行磨上磨左旋蟻右行（磨並去声）

憂天墜列子杞國有人憂天墜。身亡（亡無通）所寄。廢寢食者久有曉之者曰。天。積氣也。奈何憂崩墜乎於是其人甚喜

二天謝恩云。仰賴二天之庇（後漢）蘇章順帝時。遷冀州刺（音次）史故人為清河太守（清河郡屬河東今恩州是也。漢屬冀州刺史所領）章行部按其奸贓（巡按郡邑曰行部）太守。為設酒殽陳平生之好甚歡太守喜曰。人皆有一天。我獨有

二天（太守意謂己與蘇章平日之好必能庇我罪又一天也）章曰。今日蘇孺文（章字）與故人飲者私恩也。明日冀州刺史按事者。公法也。遂舉正其罪（舉正糾治也糾治奸贓之罪竟不恕）

黃綿襖 日暖如著（張入声）黃綿襖（王露）何斯舉云正月。雨（音喻）雪連旬（雨自上而降下也）忽開霽閭里翁媼。（烏老切媼老女之稱）相賀曰。黃綿襖子出矣因作歌紀之

駒隙（音吃） 謂人生易老。如白駒過隙（白駒日影也隙孔也所處也白駒過隙言日影過孔隙處之易也。人生少而壯ミ而老須刻而已何必苦求。）（魏豹傳）人生世間如白駒過隙（莊子）（知北遊之篇正言人生天地之間若白駒之過隙俄頃死

亡莫不生烏莫不死烏所謂苦何求而不足。乃終日而營營）

三竿 日晏曰日已三竿（南齊天文志）日出三竿（三竿。日出三竿。日出三竿之高或曰山名）黃色赤暈（音咏。暈者日色旁氣也）

倒景（影同） 人生衰晚倒景之勢（相如賦）貫列缺之倒景（貫穿也列缺電光也倒影服虔曰。人在天上下向視日月影向在下也。武陵子明經曰列缺氣去地二千四百里倒影氣去地四千里其影皆到下）

吠日 罕見而驚曰有吠日之恠（韓文）蜀中少（燒上声）日（蓋為山高日雖出而易沒）每日出則群犬吠之

喘月 有所畏曰豈非吳牛喘月乎（風俗通）吳牛苦於

月故望月而喘喘氣急也水牛生江淮間故曰吳牛南地多暑此牛長熱見月疑是日所以喘也

（世說）滿奮畏風在晉武坐北窗作琉璃扇

屛風實密似疏通明若無所庇奮有難色難色畏色也帝笑之

奮曰臣猶吳牛見月而喘

居諸 日月居諸（詩）栢舟篇 日居月諸胡迭音帖而微居諸語辞

也胡河也迭更也微虧也此詩蓋言婦人不得其夫口言日當常明月則有時而虧猶正嫡當尊衆

妾當卑今衆妾反勝正嫡是日月何乃更迭而虧是以憂之至於遺免遺眊（釋注）攢音擔心乱也眊

音冒目不明見

景星 （史）景星鳳凰淨先覩之為快此與前第二卷瞻仰類覩星之下通

看

戴星 早行曰戴星而出（史）戴星而出戴星而入與三卷送

行類戴星之下意同

風月玄度 叙閒去声澗曰風月思玄度（世說）劉尹曰劉尹

名惔字其長為丹陽尹清風朗月令平声人思玄度玄度即句也

吹噓 音虛求薦舉曰尚借吹噓之力（披拂）（杜）頻借吹噓

送上音肯天莊子風一西一東孰莊子是孰披拂是

披襟以當 坦然領略曰披襟以當（宋玉風賦）楚王遊

於蘭臺之宮有風颯然而至乃披襟以當之曰快

式此大王雄風也

扶搖 祝頌朋友云竚看扶搖萬里竚立也(莊)逍遙遊篇大鵬之徒於南濵也南濵南海也摶扶搖而上者摶音團上上声九萬里扶搖風也祝朋友亦若大鵬摶風而上於九萬里也○互見下節

風斯在下 言升高曰。風斯在下矣(莊)逍遙遊篇風之積也不厚。則其負大翼也無力鳥翼惟鵬翼為極大。莊子言水若積之不厚則不能負大舟風之不能負大翼。如水之不能厚積故九萬里。則風斯在下矣上九萬里之高則在於風之上矣

南風不競 言衰弱不勝曰南風不競(左)襄公十八年晉人聞有楚師鄭公子嘉欲去諸大大而專其權。知晉不与已故將叛晉而起楚師伐鄭藉其力以去之楚師至魚齒山下涉水甚雨及之楚師多凍於是晉人聞楚有伐鄭之師師曠曰不害晉師曠獻言曰楚不為害吾驟歌北風歌者吹律以詠八風也言吾聞楚伐鄭嘗歌北風以所晉之強弱又歌南風又歌南風以所楚之強弱南風不競南風音微細故曰不競多死聲南風之中又多肅殺之声楚必無功以声听之楚師伐鄭必無成功晉叔向曰若听声不如人和

抹月批風 待客云但能抹月批風(坡詩)貧家無娛客但知抹月批風

談風月 清談曰談風月(南史)徐勉遷吏部尚音常書居

選官（凡選官屬吏部）嘗與門人夜集客有虞暠（音杲）求詹事五官（詹事五官東宫官也）勉正色云今夕止可談風月不宜及公事

無盡藏（去声）不較盡曰無盡藏物各有主一毫莫取（赤壁賦（宋神宗元豐五年秋七月十五日東坡与客泛舟遊於赤壁之下而作此賦））且夫天地之間（之指上天下地之間）物各有主（凡物各有主者司存）苟非吾之所有（謂軒冕儻来之物非吾自有者）雖一毫而莫取（物主於人雖纖毫亦不可強取）惟江上之清風（此賦前有清風徐來之句以此句應之故言惟此江上清風在焉下句倣此）與山間之明月（謂明月往来不息之意）取之無

禁（耳之所取聽声也目之所取觀色也耳目取之於声色而無所禁不比貨財之類）用之不竭（謂盡也風月常有受用無盡）是造物者之無盡藏也（是則天地之造物者。本無藏云云）

白衣蒼狗 世事輪雲如白衣蒼狗（杜）天上浮雲如白衣斯須改变成蒼狗（蒼狗者似雲之頃刻变黑故也）

白雲孤飛 客中思親云白雲孤飛（唐）狄仁傑見白雲孤飛曰吾親舍在其下。悵望久之

山中白雲 謝客訪曰山中惟白雲而已（陶弘景詩）（弘景梁人）山中何所有山上多白雲只可自怡悦。不堪持

贈君

不成霖雨謾遮天 有虛名無實用云不成霖雨謾遮天（宋）章子厚遠謫雷州（子厚名淳神宗相奸臣故謫之）過小貴州南山寺與僧奉忠倚檻看雲曰（子厚言）夏雲多奇峯（淵明詩）真善比類（類似也。言貞乃善比雲似奇峯）忠曰。曾見夏雲詩否。誦云。如峯如火復如綿飛過微陰落檻前。大地生靈乾（音干）欲死不成霖雨謾遮天。盖譏之也（譏其為奸臣不能救世亦若浮雲不能成雨以滋萬物而謾自遮天）

無心出岫 無意偶然曰無心出岫（歸去來辭）（晋陶淵明為彭澤令棄官作歸去來辭云云）雲無心以出岫（雲本無心自然遠出岫之間喻己之出仕。亦非有心）鳥倦飛而知還（鳥飛至暮而倦息則知日暮還林而宿喻己之倦而歸家也）

雷同 事多同曰雷同（記）（曲礼上篇）毋（音無）雷同（毋者禁止之辭雷同。如雷之發声物同時而應也毋雷同不附人之說而变已說。他人道非礼之言自以為是。我則推理以為非而不阿私。故曰毋雷同）

霹靂手 人有敏才曰霹靂手（唐）裴琰為司户參軍。凡舊事未决命書吏數人連紙數幅須臾剖斷並畢。時人謂霹靂手

草頭露 勢不長久曰草頭露耳（杜詩）富貴何如草頭露 言富貴不久如草頭上之露容易乾也○此盖孔巢父與李太白等隱徂徠山號竹溪六逸宋王璘以從事辟之巢父察其必敗側身潜遁由是知名

灞橋風雲 或問鄭綮 音啓 詩思綮曰詩思在灞橋風雲中驢子上

神仙中人 王恭披鶴氅 昌兩切 踏雪中行 氅靳白羽為衣 人見之曰真神仙中人也

敲氷煑茗 邀客云當敲氷煑茗以俟（六帖）王休居大白山每冬取溪氷煑建茗待賓客 建茗建溪之茶

氷柱雪車 音赤 稱人詩好曰氷柱雪車之句 復見後弟十一卷詩詞類以柱雪車之下

冷語氷人 柔論相嘲 嘲罩平声 曰冷語氷人 嘲戲謔也（外史）孟蜀時潘在廷以財結權要或戒之 或人戒之勿結權要之人 乃曰 孟潘荅云 非是求援不欲其以冷語氷人耳 非是求援引托庇於权要之人。但不歀其以冷語氷人。故勉強與之交以正其冷語相嘲也

墨池变化 祝頌人曰墨池变化容易耳。有僧講經常有一叟来聽問其姓氏乃潭中龍也。云歲旱得閑来此聽法。僧曰公能救旱乎。曰帝封江湖不得擅

用。僧曰。硯水可乎。曰可。乃就硯吸水徑去徑直是也

夕大雨水皆墨

天漏 雨多曰天漏（杜）疇能補天漏疇誰也。下雨言是天漏雨既多。而獻之言有誰能補其漏

五風十雨 太平氣象則五風十雨（王充論衡）太平之時五日一風。十日一雨

丘園枯槁 永思於人曰丘園枯槁頓借吹噓（李寓庵詩）丘園有枯槁未必雨師知

○時令類

握月擔風 約人春遊曰。相與握月擔風（春宴錄）虞松方春謂握月擔風。且留後日。吞花卧酒不可過時三春之景萬物發生紅紫芳菲甚是堪惜不可虛度。直須載酒翫賞以擔風月可也

滿腔春意 腔枯江切祝頌人云盎烏浪切然滿腔春意（宋程子云滿腔子都是春意（說文）內空也從肉空声骨躰曰腔

傍花隨柳 叙時令云。傍花隨柳（程伯淳詩）雲淡風輕近午天傍花隨柳過前川時人不識予心樂將謂偷閑學少年

闌時歡時 文選註皆春也

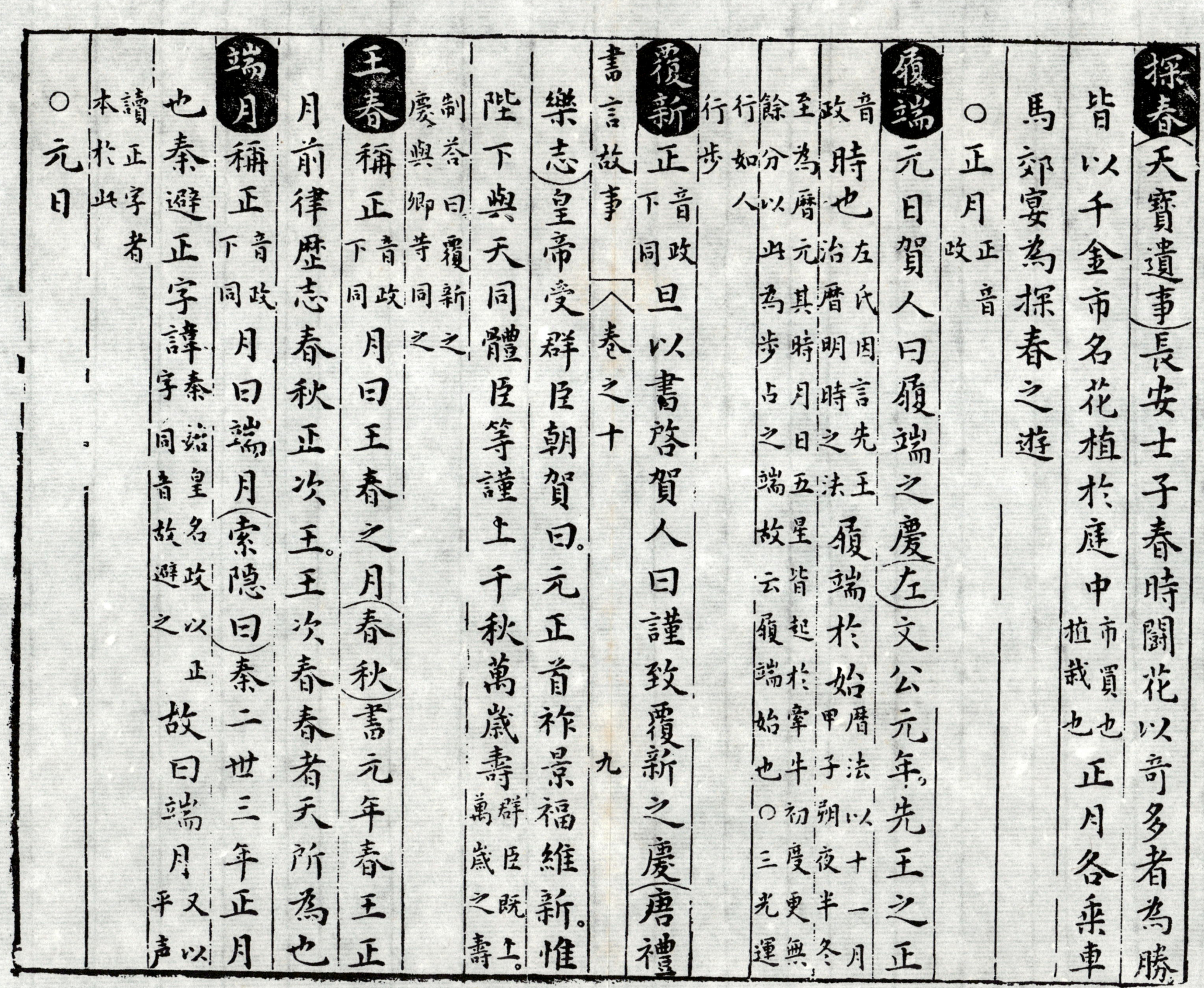

探春 天寶遺事長安士子春時鬬花以奇多者為勝皆以千金市名花植於庭中（市買也植栽也）正月各乘車馬郊宴為探春之遊

○正月（正音政）

履端 元日賀人曰履端之慶 左文公元年。先王之正時也（左氏因言先王治曆明時之法）履端於始（曆法以十一月甲子朔夜半冬至為曆元其時月日五星皆起於牽牛初度更無餘分以此為步占之端故云履端始也○三光運行如人行步）

覆新 正（音政下同）旦以書啓賀人曰謹致覆新之慶 唐禮樂志 皇帝受群臣朝賀曰。元正首祚景福維新。惟陛下與天同體臣等謹上千秋萬歲壽（群臣既上。萬歲之壽制荅曰覆新之慶與卿等同之）

王春 稱正（音政下同）月曰王春之月 春秋書元年春王正月前律歷志春秋正次王。王次春春者天所為也

端月 稱正（音政下同）月曰端月 索隱曰秦二世三年正月也秦避正字諱（秦始皇名政以正字同音故避之）故曰端月（又以平声讀正字者本於此）

○元日

賀正（音政）（漢）高帝十月，定秦，遂為歲首。七年，長樂（音洛）宮成，制群臣朝賀儀。武帝改用夏（遐上声）正（音振）建寅之朔，則元日之慶始其高祖。（出通典）

元日 正（音政，下同）月初一為元日。（書）（舜典篇）月正元日。（月正，正月也。元日，朔日也。）

椒觴 切祝滿飲椒觴。（崔寔）（月令）元日進椒柏酒。椒是玉衡星精，服之令人却老；柏是仙藥。尊卑次列，以年少者為先，各進此酒於尊長，稱觴舉壽，欣欣如也。

屠蘇酒（廣韻）屠蘇酒，元日飲，可除瘟氣。（屠蘇酒，昔人居草菴，除夕遺里人藥，令囊浸井中，元日取水，置酒樽，名屠蘇酒。飲之不疫。）

鬱壘 神荼（音途）鬱壘。（山海経）東海度朔山有大桃樹，蟠屈三千里，下有二神。一名鬱，一名壘。並執葦索（秦入声，繩也），以俟不祥之鬼，縶（音執）而殺之。（風俗通）黃帝上古之時，有神荼、鬱壘兄弟二人，性能執鬼。

桃符 六帖仙木注：造桃板著（張入声）戶，謂之仙木，象鬱壘。山桃百鬼所畏。（山海経）海中有鬱壘山，山有桃木，桃下有二神，能啖（談上声）百鬼也。（啖，食也。）故今元日設

桃符於門

○立春

春盤（生菜）李鄂（音咢）立春日。命以蘆菔芹芽為菜盤相饋貺（蘆菔蘿蔔也。饋貺賜也）（四時寶鏡）（唐）立春日。春餅生菜號春盤（杜甫立春日詩）春日春盤細生菜。忽憶兩京梅發時。盤出高門行白玉。菜傳纖手送青絲（坡詩）青蒿黃韭簇春盤（又）喜見春盤得蓼芽（又）蓼芽蒿笋薦春盤

土牛（鞭春記）月令（篇名）季冬之月（季冬斗柄建丑之月）出土牛以

送寒氣（出猶作也。月建丑。丑為牛能制水故時作土牛以畢送寒氣也）（夢華録）立春五日。並造土牛。耕夫犂具於大門之外。是日黎明有司。為壇以祭先農官吏具綵杖環擊牛者三所以示勸農之時（後漢禮儀志）立春之日施土牛耕夫于門外以示兆民

○人日

人日 陳勛（音薰）問禮俗。正（音政）月一日為雞。二日狗。三日猪。四日羊。五日牛。六日馬。七日人

靈辰 初七又為靈辰（唐李嶠人日詩）七日最靈辰（人為

萬物之靈故以是日為靈辰

人日多陰（西清詩話）都人劉克嘗與客論云。元日至人日。未有不陰時此意惟子美與克會耳起取書示客曰。此東方朔占書也歲後八日。一日為雞。二日為狗。三日為豕。四日為羊。五日為牛。六日為馬七日為人。八日為穀。其日晴。主所生之物盛。陰則灾少陵凌郎子美意謂天寶亂離四方雲擾天寶唐明皇年號當此時安祿山反。故曰亂離雲擾人物俱灾也

壽陽粧已見前第五卷身軀譬類

○上元

祠太乙觀燈（史樂書）漢家祠太乙以昏時祠到明（公羊傳）春祭曰祠。祠者。食也。今人正月望日觀燈是其故

火樹銀花蘇味道正月十五夜詩火樹銀花合唐睿宗元夕於上福門外作燈樹高一十丈燃五萬燈盞如花樹星橋鐵鎖開星橋事已見前第三卷間別類一別三春之下鐵鎖開言夜不禁暗塵隨馬去。明月逐人來此兩句言觀燈者往來之多也遊妓皆穠音濃李穠花厚遊妓之色皆若李花之厚行歌盡落梅遊妓行踏歌唱盡皆落梅曲○青長安少婦千餘人於燈毬下踏歌三日金吾不禁夜見下郎玉漏莫相催

金吾不禁夜 金吾之義已見前第○卷武官類蟠花袍之下（西京雜記）西都京城街衢有金吾曉瞑傳呼以禁止夜行惟正月十五夜敕金吾弛（音矢）禁（弛發也）前後各一日燭數

燈樓（開元遺事）明皇正月望夜移仗上陽宮建燈樓二十間高一百五尺懸珠玉金銀微風一至鏘然成韻

山棚綵山（夢華録）元宵（言元宵之際）大内前絞縛山棚結綵山（大内天子宮禁謂之内。唐有三内皇城在長安西北隅曰西内。東内曰大明宮在西内之東南内曰興慶宮在東内之南大内即西内）山上皆畫神仙故事置燈燭數萬

鼇山 鼇山燈山也。結五綵為之故。古詞云。御樓烟暖鼇山綵結鳳輦初回宮闕。千門燈火。九街風月（列子）列子此下之說已見前第四卷神仙類方壺之下於此故削之

造麵繭（開元遺事）都下上元日造麵繭以官位貼字置其中。以高下相勝為戲笑

○二月

中和節 二月朔為中和節（唐李泌傳）（泌音匹）以二月朔為中和節（中和者。二月居春之中而和暖也）以青囊盛（音神）百穀瓜

李種(中上声)相遺(去声)問(遺贈也)閭里釀宜春酒祭句芒(句芒少昊之子名重為句芒神為木官○主於發生故祭之)百官進農書

宜春酒 謝人二月送酒云辱賜宜春之酒(事已見上節)

獻生子 歲時記 民以青巾盛百穀種相遺問號獻生子

上丁 二月上旬丁日祭孔子曰上丁(丁日祭者以孔子丁丑日卒之故也) 記(月令篇)曰上丁命樂正習舞釋(音舍)菜(音采○菜蘋藻之屬○孟春習舞至是而釋菜也不用幣故曰釋菜) 唐禮儀志 二月八月以上丁日釋奠於文宣王(釋奠釋菜奠幣也奠云薦饌酌奠而已無迎牲以下之事)

○社日

枌榆(枌音焚) 同鄉里曰枌榆同契 通典 漢高祖初起禱於豐枌榆社(社音捨○豐枌榆社在豐邑東北一里以此樹為社神主因立名枌榆社)四年詔御史治枌榆(治理也)

宰肉 言人分物均平曰宰肉手段 漢 陳平號陳孺子里中社平為宰(宰主切割肉也)分肉甚均父老善之平曰使平得宰天下亦當如此肉矣(後果為相)

嘗春酒 杜 田翁逼社日邀我嘗春酒

雞豚 鄉久敘契曰雞豚同社 韓詩 頓為同社人雞豚

宴春秋立春後第五戊日爲春社立秋後第五戊日爲秋社

治聾酒海録碎事俗傳社日酒治耳聾

社翁雨提要録社公社母不食舊水。故社日以有雨謂社翁雨陸龜蒙詩幾點社翁雨一番花信風自冬末至夏初有二十四番花信風始梅花。終楝花。或曰終柳花花**釋注**楝音練

撲蝶會花朝日撲蝶會撲擊也誠齋詩話誠齋楊萬里謚文節公東京梁下二月十五日爲撲蝶會

○三月上巳

續齊諧記晋武帝問尚音書郎摯音至虞曰。三日曲水

其義何指答曰後漢章帝時平原徐肇以月初生三女。三日俱死一村以爲怪乃相携水邊澡洗因流水以濫觴曲水起此帝曰若此所説便非佳事。束晳音昔曰摯虞不足以知臣請説其始昔成王卜洛邑周公相成王至洛築王城是爲東都使諸侯來朝四方入貢道里均也因流水以泛酒故詩曰羽觴隨波**又**秦昭王置酒河曲有金人自泉而出捧水心劒曰令君制有西夏因立爲曲水二漢相沿皆有盛集二漢前漢後漢也沿流也言二漢皆承流盛集爲曲水宴

流觴曲水 王羲之蘭亭記晉穆帝永和九年三月三日王羲之會賓于會稽山之後蘭亭爲流觴曲水云云此地有崇山峻嶺指此地有高山危嶺清流激湍言此地有茂盛之林脩上之竹又有山水之清流而過石則激而爲急流湍瀨映帶左右相映夾帶環繞左右引以爲流觴曲水引導也引導其水以爲泛觴曲水（晉東皙傳）武帝問三月曲水之義皙曰昔周公城洛邑因流水泛酒詩云羽觴隨波乃知流觴曲其來已久蘭亭之會襲而作此非創爲也

○清明

一百六寒食 清明即前一日爲寒食節（元稹連昌宮辭）連昌離宮名唐明皇遊行所至多爲離宮別館初過寒食一百六冬至數至寒食一百零六日（釋注）數

音辣上声店舍無烟宮樹綠爲禁火也念奴覓音密得又連催念奴三字考此篇元係酒吏然編集者斷章取義故云念奴否則不顯覓得是何人也。唐明皇好色當此際已半夜命高力士召念奴入宮於是念奴潛伴諸郎宿歌離求覓已得又且連迭催促特勑街中許燃燭唐法禁夜爲妓之故至於特勑街中燃燭（荊楚歲時記）去冬至一百五日有疾風甚雨謂之寒食有疾風甚雨以故禁火是謂寒食。上文二百六日盡連冬至之日也此言百五日除去冬至之日以故少一日也

禁火出火 （周礼）秋官秋官司寇司烜玄上声氏取火官名周礼司烜氏掌以大遂取火於日大遂陽遂也仲春以木鐸脩火禁于國中木鐸金口

木舌搖其声以警衆而防火也○為季春將出火也火禁謂用火之處及備風燥

詩 雨中禁火空齋冷（白樂天詩）留餳徐盈切和冷粥 **韋[illegible]**

餳米糖也 出火煮新茶

熟食 冷節（杜詩）幾年逢熟食萬里逼清明 秦人呼冷食為熟食 言其不動烟光預辦熟食過節故齊人呼為冷節

賜火 叙清明時令云賜火（令辰新火）鑽火（唐清明取楡柳之火以賜近臣順陽氣也 輦下歲時記）賈島清明詩 暗風吹柳絮新火起厨烟（杜詩）朝来新火起新烟 謂寒食後改火也 又 家人鑽火用青楓

杏粥寒餻 音羔（鄴中記）鄴音業 寒食三日為醴音礼酪音洛○醴甜酒也酪漿也 又煑糯米及麥為酪擣杏仁煑作粥（藝苑

䧳黄 寒食以麵為蒸餅様團棗附之名曰棗餻

○夏

羲皇上人 夏月叙起居云北窓高卧羲皇上人（晉陶潛）夏月高卧北窓之下有風颯然而至自謂羲皇以上人物 羲皇伏羲氏也

柳下借陰 求庇於人曰暍音謁人於柳下借陰耳 暍心中熱也言心熱之人借陰於柳下也（淮南子）武王蔭暍 着暑熱死者也 人於柳

下而天下懷言凡人於柳下借陰以避熱天下之人懷武王不能就陰以致着暑而死也

暑吏 畏熱曰為暑吏苦（杜牧詩）大暑云酷吏清風來故人

迎風觀 去声（閑中記）晉帝作迎風觀寒露臺以避暑

○四月

麥秋 敘四月時令用麥秋屆候（記月令篇）孟夏麥秋至秋者百穀成熟之期此於時雖夏於麥則秋故云麥秋也○蔡邕月令章句曰百穀各以生為春熟為秋故麥以夏為秋

正月 正音政 四月為正陽之月（左莊公二十五年）夏六月辛未朔杜注以長曆推之辛未。實七月朔作曆者置閏有差。故以為六月朔也日有食之日月遇朔則交會日為月所揜。故若有食之者惟正月之朔正音政○正月。陽正之月也。蓋指建巳。六陽之月。乃夏之四月周之六月也慝他歷切未作巳月純陽用事。陰慝未作

浴佛 佛生於四月八日。是日浴佛（高僧傳）四月八日浴佛以五香水灌頂五香者本草謂青木香為五木香○香草即澤蘭

華會 華音花（歲時記）四月八日諸寺各設齋以五香水浴佛。作龍華會

麥秋槐日梅天梅潤 趙師民詩 麥天晨氣潤槐日午陰晴 嚴維詩 梅天一雨清 林和靖詩 已應梅潤滋

圖書

○五月端午

端五端午 歲時記 京師人以五月一日為端一（端始也）。二日端二。三日端三。四日端四。五日端五

祭屈原 續齊諧記 屈原五月五日投汨（音覓）羅江而死（屈原初以楚懷王所任後以讒見疎作離騷以自怨又以讒遷江南於是日遂投汨羅而死）楚人哀之至日以筒貯米祭之（至日者年年至五日也）建武元年（建光漢光武年号）長沙人見之。自稱三閭大夫曰常苦蛟龍所竊願以五色采線纏之則蛟龍畏

角黍 今俗謂之粽（宗去声）子 唐 天寶中（天寶明皇年號）宮中五日造粉團角黍以小角弓射之中（去声）者皆食 風土記 仲夏端午烹鶩（音木 鶩家鴨也）進角黍

龍舟 今之競渡 荊楚記（即歲時記）屈原五月五日。投汨羅江死後人以舟檝救之至今競渡是其遺俗

九子粽 王禹王詩 爭傳九子粽（粽子形製不一有角粽錐粽茭粽秤錘粽）（九子粽）皇祚續千春

[illegible]

畫天師結艾人戴艾虎 歲時雜記端午都人畫天師以賣（都市 都也）又作泥塑。天師以艾為鬚以蒜為拳置于門上。又採艾結為人懸門戶上以辟毒氣（辟 除也）又以艾為虎形至有如黑豆大者。或剪綵為小虎粘艾葉戴之

○六月

天貺節 （會要）宋祥符四年（真宗有大中祥符年号）詔以六月六日天書再降為天貺節

三伏 （春木而生夏火夏代則順序秋代夏則以火克金秋金畏火故夏至一陰生火盛而金伏藏伏至於三則金生盛乃克代夏。○六月屬土。春木生夏火。火生六月土土生秋金金生冬水水生春木循環不已）夏至後第三庚為初伏第四庚為中伏。立秋後初庚為末伏（曆忌云）立秋以金伏火金畏火。故至庚日必伏庚者金也故曰伏日

避暑飲 （典略）劉松袁紹於河朔避暑之際晝夜飲酒避一時之暑。故河朔有避暑飲

○秋

思蓴鱸（音纑 炉）久客念歸曰思蓴羹鱸鱠（晉）張翰吳人入洛。見秋風起思吳中菰菜蓴羹鱸魚鱠（蓴作蒓 水葵也。）

葉似凫葵浮水上採莖可啖通作蓴

秋聲 敘秋時令曰秋聲塞音色耳（歐公秋聲賦）歐公。歐陽脩謚文忠公 歐陽子方夜讀書夜静則秋声愈凄肅故云夜讀 聞有聲自西南来者天地嚴凝之氣盛於西南。故秋声来於此 悚松上声 然而聽之毛骨悚立静而聽之 曰異哉自言怖異 初淅瀝以瀟颯始初淅瀝漸動蕭颯則声。漸揚 忽奔騰而砰普耕切 湃普拜切○忽奔騰砰湃如水声之洶湧者 如波濤夜驚似夜江聞波濤而驚 風雨驟至又若風雨驟激於林木忽有声云云 鏦鏦七恭切 錚錚楚耕切○声音如此 金鐵皆鳴若金鐵之声交鳴者云云 予曰歐公自言 噫嘻悲哉嘆息而言悲秋之意 此秋聲也前面鋪陳至此

方指名曰秋声 云云

宋玉 悲秋（宋玉作九辨）宋玉屈原弟子。楚大夫也。閔惜其師忠而放逐故作九辨以述其志云 悲哉秋之為氣也秋者。一歲之運盛極而衰肅颯寒凉陰氣用事 蕭瑟兮草木摇落而變衰草木零落百物凋悴之時（九歌）屈原所作此下第四歌也 嫋嫋兮嫋奴鳥切 秋風洞庭波兮木葉下嫋嫋長弱之貌。秋風起。則洞庭生波。而木葉下矣。詳記其時也

一葉知秋（淮南子）一葉落而天下知秋一葉者梧葉也

○七月

火老金柔 秋初時令用（韓詩）金柔氣尚低。火老候愈

熾音始火盛也

七夕曬衣曬所界切（竹林七賢傳）七賢隱竹林詳見弟一卷宗族類小阮之下七月七日諸阮庭中鋪陳莫非錦繡諸阮居道北者家富阮咸時總角阮咸居道南家貧總角。波髮結之尚幼也乃挈長竿挈提挈也標大布犢鼻於庭中大布粗布也犢鼻牛頭褌曰未能免俗。聊復爾耳

曬腹中書郝抗入声隆七月七日見富家皆曬曝步腹切衣帛。乃出日中仰卧。人問其故問其仰卧何如曰隆答我曬腹中書耳

乞巧七孔針（歲時記）七月七夕。婦人結綵樓穿七孔針陳凡筵酒脯瓜果於庭以乞巧若有蟢子網於庭瓜上則以為得巧（唐）柳子厚有乞巧文

織女詣牽牛一歲一相見（吳均齊諧記）桂陽城武丁有仙道謂其弟曰七月七夕。織女當渡河暫詣牽牛吾向已被召世人至今云。織女嫁牽牛（張文潛七夕歌）但令一歲一相見天河之東有美麗女人乃天帝之子機杼女工年年勞役織成雲霧紫色縑之衣。辛苦殊無歡悅容貌不暇整理。天帝憐憫其獨自居處。無人揖與娛樂者。將嫁與河西牽牛之夫婿自從嫁後竟廢織紝之工。貪歡不歸。天帝怒焉責令歸河東但

使其一年一度與牽牛夫相會而已 七月七日橋邊渡 每於七月初七日鵲橋邊濟渡

○中元

掃墳 夢華録 七月十五日供養 並去声 祖先素食。城外有祖墳即往拜掃。禁中亦出車馬。詣道院謁墳作度亡大會

目連救母 佛經云目連以母生餓鬼中不得食佛令作盂蘭盆 盂蘭盆。俗以竹爲器者 至七月十五日具百味五果著 張入声 盆中供養十方佛。而後母得食目連白佛 白告也 凡弟子行孝順者亦應奉于蘭盆供養佛言大善。後世因之。遂爲于蘭盆會

○八月中秋

中秋月爲端正月 正音政 韓昌黎詩 三秋端正月 端正者言月之圓滿也 今夜出東濵 濵音賓。濵海也

虛度秋 古詩 此夜若無月。一年虛度秋

明皇遊月宮 龍神録 八月望日。唐明皇與申天師遊月宮 事文類聚載葉喜引明皇入月宮未知孰是 寒氣逼人霜露霑衣過一大門在玉光中。見一大府牓曰廣寒清虛之

府少前見素娥十餘人。皓衣乘白鸞笑舞於廣庭大桂樹下。樂音清麗上皇歸製霓裳羽衣曲明皇聽大樂。名曰紫雲曲。默記其声歸傳名霓裳羽衣曲

○九月

重陽 九月初九日是重陽魏文帝書歲往日來忽逢九月九日為陽數其日與月九月並應。故曰重陽

登高菊花酒 吳均續齊諧記汝南桓景隨費音廢長房學。謂曰長房與桓景言九月九日汝家當有災。急令家人縫絳囊盛茱萸係臂上絳大赤色也。係或作繫盛貯登高飲茱萸酒此禍乃消。景從其言。舉家登山。夕還見雞犬

一時暴死。今人九月九日登高正以是也

落帽 晉孟嘉為桓温參軍九月九日温宴龍山。軍僚畢集。有風至吹嘉帽墮落嘉不之覺。或作知。孟嘉既不覺落帽。温使左右勿言。嘉良久於廁温令取还之。命孫盛作文嘲之

茱萸會 杜詩明年此會知誰健。醉把茱萸子細看

白衣人送酒 晉陶潛九月九日無酒宅邊有菊。採之盈把。坐其側久而望見白衣人至乃王弘送酒。就便酌酒醉而歸

賒酒 杜詩每恨陶彭澤晉陶潜為彭澤令無錢對菊花此句引上節事如今九日至自覺酒須賒

○冬

冬者歲之餘 董遇常以三餘讀書夜者日之餘陰雨者時之餘冬者歲之餘

○十月

良月 左莊公十六年鄭國名公父定叔出奔衛定叔共叔段之孫定謚也使以十月入定叔出奔三年鄭厲公復召之歸使定叔以十月入鄭曰良月也厲公言十月為良月就盈數焉數始於一盈滿於十故以盈數為良月

陽月 梁元纂要十月孟冬曰上冬曰陽月此月純陰用事嫌於無陽故曰陽月詩采薇篇采薇采薇薇菜也歲赤陽止陽十月也

小春 歲時記十月天時和暖似春故名曰小春

暖爐會 歲時記十月朔有司進煖爐炭民間皆置酒作煖爐會

橘綠橙黃 叙十月景曰一年好景橘綠橙黃坡詩荷盡已無擎雨蓋菊殘猶有傲霜枝一年好景君須記正是橙黃橘綠時

水官解厄 下元曰水官解厄之辰正月為上元天官賜福七月為中元

地官赦罪。十月為下元水官解厄正一旨要下元三品解厄水官主録百司。檢較人間禍福善悪進詣天闕上呈

〇十一月冬至

日南至

南至令辰書雲節届日南至日南至者謂日極南至于牽牛則為冬至〇自秋分日行南陸至冬至日日南極矣故曰日南至。今之冬至也左僖八五年正月周正月今之十一月辛亥朔其月初一日辛亥日南至已見上文公既視朔魯公既親告朔于廟謂之親朔遂登觀臺以望觀臺臺上架屋可以遠觀者也公遂登觀臺以望雲氣而書而書雲物以紀災祥禮也朔日冬至乃曆數之所始。治國者。因此可以明術數別陰陽叙事訓民。故善魯公之得禮也凡分至啓閉分春分秋分也至夏至冬至也啓立春立夏也閉立秋立冬也必書雲物雲物氣色灾變也必書以記其吉凶為備故也素察妖祥預為之備

添線

叙時令用線迎長歲時記晋魏間宮中以紅線量日影冬至後日添長一線至後日漸長挑繡之際覺每日多繡線一條雜録唐宮中以女工揆日長短揆量度也冬至後止常日增一線之功杜詩刺音七繡五紋添弱線

一陽

揆時一陽初動曹植表千載昌期昌盛也祝國千年之盛可期也約一陽嘉節十一月地雷復卦一陽初生四方交泰萬彙音位昭蘇音踈〇彙類也蘇更生也杜牧冬至日示小姪阿宜今

日我江外今日生一陽（周易）復為十一月卦復一
陽生於下（見上文）是為雷在地中
○十二月（附臘）
臘日 杜十二月初一日詩今朝臘日春意動
歲晏 歲暮改歲（楚詞）歲既晏孰華予（未詳）（詩）（小明篇）歲聿
云暮（音役）（聿遂也暮晚也）曰為改歲（歲既暮則改春至又一新矣）
歲事赴壑蛇 歲晚曰歲事如赴壑蛇矣（坡詩）欲知垂
盡歲有似赴壑蛇（壑深虛坎壍也）脩鱗巳半沒去意誰能
遮

江空歲晚（陳后山詩）風帆日力短江空歲年晚
臘蜡（音作）（記）（禮運篇）蜡賓（昔者孔子在魯与為魯國蜡祭之賓故曰蜡賓礼記郊特牲篇）
云蜡者歲十二月合聚萬物索享之也黃衣黃冠
而祭息曰夫也既蜡而收民息已鄭玄謂十二月
建丑之月也求萬物而祭之者萬物而助天成歲
事故夏月曰清祀商曰嘉平周曰蜡祭曰臘釋注
索音色謂索取萬物之靈合聚而祭之也（玉燭寶典）臘者祭先祖蜡者
報百神（礼記郊特牲篇云祭者百種以報嗇也嗇田祖神農也謂百穀之種皆嗇之所成故
祭以報之釋注嗇音色種中上声）同日異祭也（祭先祖及報百神雖同日各設祭也）
○除歲
守歲（杜）守歲阿戎家（杜甫守歲於杜預之家）椒盤已頌花（椒字之義）

已見此卷前元日椒柏酒

次日元旦飲之頌花者晉到臻妻陳氏元日獻椒花頌云美哉靈葩爰采爰獻至容映之永壽於萬於此杜甫引之云耳

崢嶸 音撑横 言歲除多事曰歲事崢嶸 崢嶸山峻貌言歲將暮猶物之高也 文選 歲崢嶸而將暮

爆竹 神異經 西方山中有人長尺餘人見之即病寒熱或寒或熱瘧疾也名山臊每以竹著張入声火中爆音必烞音朴有聲則驚遁爆烞者火激声則山臊驚走遁藏

驅儺 諾何切 語鄉黨篇 鄉人儺 儺所以逐疫蒙熊皮黄金四目玄衣朱裳執戈揚盾可畏怖也以索室中疫鬼而驅逐之釋注索音色求也 後漢禮樂志 季冬先

臘一日大儺選中黄門弟子十歲以上十二歲以下百二十人為侲音振子振子童子也皆赤幘音責皂衣 說文云髮有巾曰幘 以逐惡鬼于禁中

○閏月

一閏再閏 張純傳 三年一閏天氣小備五年再閏天氣大備

王居門 周禮 春官 周禮有六典天官地官春官夏官秋官冬官 閏月詔王居門終月 禮盖太史掌建邦之節所載王天子也門謂路寢門也禮記月令篇正月天子居青陽左个大寢東堂北偏也北偏者近北也四面旁室謂之个二月天子居青陽太庙東堂當太

室三月天子居青陽右个東堂南偏四月天子居明堂左个大寢南堂東偏五月天子居明堂大廟南堂當大室也六月天子居明堂右个南堂西偏也七月天子居總章左个大寢西堂南偏八月天子居總章太廟西堂當大室也九月天子居總章右个西堂北偏也十月天子居玄堂左个北堂之西偏也十一月天子居玄堂太廟北堂當大室也十二月天子居玄堂右个北堂東偏也惟閏月天子無所居〻于門故於文王在門謂之閏釋注文閏字也

定時 尚書堯典篇 朞三百六旬有六日 朞周一年也天体至圓周圍三百六十五度常一日一周而過一度 以閏月定四時成歲 三年一閏五年再閏然後四時不差而歲功得成

○歲月

生明 書武成篇 厥四月哉生明 厥其也哉始也始生明月三日也謂初三日始生魄眉月也

上弦下弦 每月初八日為上弦月之未圓二十三日為下弦月之又缺

翼日詰朝 翼音亦詰音乞 言明日 翼日 明早朝詰也 書武成篇 翼日癸巳 翼日明日也此蓋武王言明日癸巳以伐紂 左僖公二十八年 詰朝將見 詰朝明日早也此蓋晉侯與楚戰晉侯使欒枝對日明日平旦相見以決戰晉勝之○餘詳見後弟十卷事物譬類原田之謀之下

穀日 言吉日曰穀日 詩東門之枌篇 穀日于差 初皆切穀善也差

擇也選也選擇善日以會于南方之原於是棄其績麻之業以舞於市而往會○此詩下章又言以
善旦而往於是以其辰行而男女相[redacted]道其慕悅之詞

五夜 素記記謂甲夜乙夜丙夜丁夜謂之五鼓亦謂之五更音庚（唐）太宗丙夜不安枕（杜詩）五夜漏聲催曉箭言早朝之祭五更漏声催晓将盡之際如箭之疾

良夜 深夜曰良夜（祭遵傳）祭音債帝光武幸遵營劳享士卒良夜乃罷（東坡後赤壁賦）月白風清東坡顧謂二客云所美者惟風月而已如此良夜何良夜難得其如此何於是携酒與魚共客復遊於赤壁之下而作賦

○地理類

青山只磨青 磨去声 不改常曰青山只磨青（朱晦庵詩）甕牖音有前頭列翠屏牖窓牖也甕牖者以甕為牖山列於其前端正青翠若屏風然晚来相對静儀形晚来與山相對安静儀形言愛山之美也浮雲一任閑舒卷捲同○即所謂雲移山不動者也萬古青山只磨青山之形色萬古不改

吉士 已音紀物曰吉士（魏）王粲因國難去声往依荆州劉表久而思歸作登樓賦云信美而非吉士兮曾音層何足以少留表以粲貌短少而醜惡不甚礼焉粲於是登樓作此賦云

湖海之士 豪客曰湖海之士豪氣未除（史）許汜音汜與劉備論去声天下人汜曰陳元龍名登湖海之士豪氣未除此節之義詳見前第六卷声名類湖海士之下

滄海桑田 山河改轉曰滄海桑田（神仙傳）麻姑為王方平言自接侍以來見東海三為桑田（詩）十月之交篇十月之交交日月交會謂海朔之間三十日曰晦初一日曰朔百川沸騰百川之水皆益出而相乘山冢崒才律切崩山之高峯冢頭之土崒然崔嵬者亦皆摧壞而崩落矣高岸為谷高大之岸而陷為深谷深谷為陵陵大阜也深下之谷進出高陵（釋注）阜高厚切山也

経丘尋壑 遊覽自娛曰得経丘尋壑之樂陶淵明歸去來辭見前三卷身体說類為未折腰之下或命巾車（周礼）有巾車氏掌王者車上之幕中猶衣也命巾車美其名也或棹孤舟或特因便水則棹發孤舟以行既窈窕以尋壑已而由曲迳委曲以尋溪源之去處亦崎音溪嶇音區而経丘丘亦陵也亦或泊舟登岸由陸迳而経從小山之丘

五嶽 五嶽乃天下之名山勝跡最多於此下每山名舉其一事而已東嶽泰山在兗州為羣岳之長○（漢官儀）泰山東南名日觀日觀者雞一鳴時見日出也西嶽華花同山在華音化州○華山記山頂有千葉蓮花服之羽化因名花山南嶽衡山○在衡州（荊楚記）衡山有三峰極秀一曰紫蓋一曰石囷一曰芙蓉峯最為竦傑（釋注）囷因頂北嶽恒音常

山在定州○唐太宗文惟靈山之秀峙亘朔野中以標奇〔釋注〕峙音耻峻也亘音更通也遍也

嶽嵩山在西山○嵩山三十六峯東曰大室西曰少室嵩其總名也謂之少室者以其下各有石室焉

四瀆 江出岷州今松江 淮出桐栢今唐州 河出崑崙山今檀州 濟上声○出屋今孟州

三江 韋昭云 荊江在荊州 松江在蘇州 浙江在杭州

九河在兗州界 徒駭 大史 馬頰音結 輔鬴音甫 胡蘇 鉤盤 鬲津 簡 潔

九江 蚌江蚌音旁上声 烏江 畎江畎音卷 源江 烏白江 提江 廩江 箘江箘音囷 嘉靡江潯陽○已上九江皆自廬江潯陽分九道

五湖 鄱陽在饒州 青草在岳州 洞庭在鄂州 丹陽在潤州 大湖在蘇州

高卧東山 安穩不出曰高卧東山（晉）謝安桓温請為司馬朝士咸送或曰謝安既至朝士咸送之為司馬 中丞高崧曰安石不出謝安字安石 將如天下蒼生何先屢召安安不起至是高崧言安石若不出天下蒼生皆失望如之柰何今也既出蒼生有幸

風波 世情澒洪上声洞曰風波 **山谷題玄真子圖** 人間底是無波處一日風波十二時此可與前弟卷漁釣類玄真蒻笠

之下通看

河清 千歲罕逢曰河清之會（史）黃河千年一清則聖人生

扁舟 隱者用扁舟五湖范蠡音里助勾踐滅吳後勾踐越生也范蠡助之而滅吳王夫差餘詳見［史］［周］以後吳之下乃乘扁舟泛五湖

采石 （唐）李白過采石酒狂入水捉月遂溺死

弱水之隔 遠不能到云如有弱水之隔蓬萊山有弱水之隔羽亦沉非飛仙能到此節之義詳見前第四卷神仙類蓬萊弱水之下

盜泉 孔子過於盜泉渴矣而不飲

田園將蕪 （晉）陶潛為彭澤令不能折腰於郡督郵音左乃賦歸去來辭曰已見前第五卷身体說類為米折腰之下歸去來兮述其歸與田園將蕪駕言其田園將荒蕪胡不歸何不歸去

不窺園 （漢）董仲舒下音遐上声帷發憤讀書三年不窺園窺視也漢武帝時對策為江都相

居鄭圃 叙不相識者列子居鄭圃四十年無人識者

○花木類

蘭芷蕭艾 士節改化曰蘭芷蕭艾（楚辭）屈原遭小人之讒而作也

蘭芷變而不芳兮云云今直為此蕭艾也蘭芷比君子蕭艾賤草比小人言君子不幸遭小人化之為惡亦猶蘭之变為蕭艾也當是時死守不变惟屈平一人而已

與衆草伍 隨波同流曰與衆草伍夫子見蘭嘆曰孔子反魯谷中見蘭已而嘆曰夫蘭當為王者香今與衆草伍乃援琴鼓之作猗音衣蘭操音皂○援引也當是時孔子周流天下道不行自傷不逢時記辞於蘭云云

前度劉郎（唐）劉禹錫過玄都觀桃花盛開有詩云玄都觀裏桃千樹盡是劉郎去後栽刘郎郎禹錫也

桃李不言 李將軍名廣恂恂如鄙人恂恂信實之貌如鄙野之人口不能出辭若孔子於鄉黨似不能言者盖謹畢遜順不以賢知先人也及死之日知與不知者皆為流涕言其死可惜也諺曰諺俗語也桃李不言下自成蹊音溪○蹊徑路也桃李不能言但花開子熟人自至其下觀花成桃李子故成蹊

桃花結子（王楚詩）樹頭樹尾覓殘紅一片西飛一片東自是桃花貪結子錯教人恨五更風

天香國色 牡丹曰天香國色（王建詩）國色朝酣酒言其色之紅若人有酒色天香夜染衣

海棠睡（楊妃傳）明皇登沉香亭召楊妃妃被酒新起命力士從侍兒扶腋（音亦）而至（腋肘腋也）明皇笑曰此真海棠睡未足耶

花中神仙 花木録唐相賈耽（都甘切）著百花譜（音圃）以海棠為花中神仙

花中君子 蓮花曰花中君子（周茂叔愛蓮説）予謂菊（予謂菊之為花）花之隱逸者也（菊開於晚秋不爭春妍是為隱逸之狀者也）牡丹（牡丹之奇）花之富貴者也（春色繁鮮多在富貴家雕欄舟濫之中故曰花之富貴者也）蓮（惟此蓮之一種）花之君子者也（表而出之出於泥而不染其汙濁洗於清淨之水而不為妖嬌之態如君子之德挺然独清故曰君子）

紅一點（王荆公）（安石）（石榴詩）萬緑叢中紅一點動人春色不須多

黃花晚節（李彥平録）韓魏公九日詩不羞老圃秋容淡且看黃花晚節香識者知其晚節之高

明日黃花 過時之物曰明日黃花（蘇公詞）休休（句）明黃花蝶也愁

飡菊 頌人清高曰飡菊飲露（楚辭）朝飲木蘭之墜露

兮夕飡秋菊之落英木蘭木名本草云皮似桂而香狀如楠樹高數仞去皮不死。飡食也。英花也。飲露飡花。言動以香潔自潤澤也。釋注仞七尺也

【大夫】謂松曰大夫（秦）始皇登泰山風雨暴至休樹下封松為五大夫五大夫秦官名

【松菊主人】頌隱者云松菊主人韋表徵授監察御史不樂曰吾將為松菊主人不愧淵明不能如淵明之棄官者猶有利祿之心則有愧於淵明表徵言吾將欲如淵明之棄官而種松菊是為松菊之主人則不愧於淵明也。淵明事詳見前第五卷身体說類為來折腰之下

【歲寒】謂人不改節有歲寒之操（語）子罕篇子曰歲寒然

後知松柏之後凋也先師曰松柏在春夏無異衆木。必經歲寒方見其後衆木而凋零以比君子在平時無異衆人又經事變方見其異衆人而特立。饒氏曰松柏至春後方易葉故曰後凋

【絲苓】親姻曰有絲苓之好（淮南子）千歲之松下有茯苓松脂入地千歲化茯苓。以茯苓入藥服之。可以益壽延年上有菟音去戸絲王洙曰。菟絲松蘿也。陸機草木疏菟絲連草上生其色黃赤今藥中菟絲子是也在草曰菟絲在木曰松蘿（山谷詩）黃山谷以此詩贈東坡。扶松以屬東坡茯苓以前門下之賢士者青松山澗壑松乃凌霜傲雪後凋之木也多生於瀨壑之間。東坡生於眉山其父蘇老泉攜之出蜀知於歐陽公奪制科名動京師。山谷言東坡出蜀亦如松出澗壑（釋注）東坡知於歐陽

公詩見前第六卷獎譽類出一頭地之下十里閒風聲言其声名之遠著也上有百尺絲見上文下有千歲苓見上文

棟梁 稱人才幹云有棟梁之材言其抱大才當為大用

材大难用 有才不遇曰材大难用（杜甫）古柏行蜀中諸葛亮廟前有古柏四十圍之太二千尺之高杜甫見之遂作此行以比亮之大才。而不遇大用以遂其志云志士幽人莫怨嗟有志之士清幽之人皆莫怨恨咨嗟古來材大難為用自古昔以來材器大者难為任用

樗櫟 音樞歷 自謙言曰樗櫟之材櫟木名（莊子）逍遙遊篇惠子謂莊子曰吾有大樹人謂之樗惡木也其大本擁腫而不中繩墨擁腫盤結而瘰瘣也。以繩墨正之蓋為其擁腫而曲不直（釋注）瘰音羅上

声。瘣音回上声卷音拳曲而不中規矩圓曰規。方曰矩蓋為其卷曲而不中方圓之法。不可以成器焉。立之於塗匠者不顧莊子答之曰。今子有大樹何不樹之於無有之地寬廣之也。排徊其側寢卧其下不夭斧斤安所困苦哉。遇有謙言者當以莊子所答之言答之。不亦善乎

蒲柳之姿 自言衰弱曰蒲柳之姿世說南宋顧愷之與文帝同年。愷之先老帝恠問之愷之曰松栢之姿經霜猶茂蒲柳之姿望秋先零蒲柳河畔赤檉柳秋来先落或以為二物者誤也（釋注）檉音陳

喬木故家（孟子）梁惠王下章 孟子見齊宣王曰所謂故國

者非謂有喬木之謂也有世臣之謂也喬高也。世臣。累世勳舊之臣與國同休戚者也。夫木以年世之久。而至高也蓋非以木之高而言國之久。是所謂有功勳之臣佐君施仁政以得久而為故國也

此君 竹曰此君王徽之字子猷。嘗居空宅中。令栽竹或問之或人問其我竹何為徽之但嘯詠指竹曰何可一日無此君（坡詩）無肉令人瘦無竹令人俗。人瘦尚可肥士俗不可醫不可醫者蓋為氣質不化至死不變也

化龍 （後漢）費長房。隨壺公入山以竹杖與騎至家長房以杖投葛陂。顧見則龍也此節之義可與前第四卷神仙類壺公之下通看

○果實類

荊桃含桃 櫻於桃切桃曰荊桃含桃（爾雅）荊桃今櫻桃（記）月令篇仲夏斗柄建午之月天子羞以含桃蓋進美物也。含桃朱桃也。釋文云以鶯鳥所含。故曰含桃先薦寢廟不敢以食之餘而奉神也必須先薦

止渴 （魏）武帝與軍士失道大渴無水遂令曰前有梅林結子甘酸可以止渴士卒聞之皆中水出

嘉實 蒙人惠梅子曰蒙惠嘉實梅亦果中之嘉實（山谷詩）贈東坡江梅有嘉實梅比東坡嘉實以比美才云云

羊棗 曾皙音昔嗜羊棗而曾子不忍食羊棗實小黑而圓又謂之羊矢棗即今之北棗而脫皮肉棗如羊矢大故名曾子以父曾皙嘗食之父死而不忍食之思父之思孝道終身如此也

瓜田李下 避嫌疑曰遠音怨瓜田李下之疑（選）君子防未然不處嫌疑間瓜田不納履李下不整冠此與後第十二卷冠履類瓜田納履之下通看

苦李 為人所棄如道傍苦李（晉）王戎七歲嘗與諸兒遊道邊李樹有子折枝折枝者李子多壓枝折斷也諸兒並取之惟戎不動人問之曰戎荅樹在道傍而多子此必苦李也言若不苦經過者多而必取已盡矣果然嘗之果苦

入口沉痾痊白蒻 痾音阿痤七全切蒻音若（韓詩）大華花同峯頭玉井蓮開花十丈藕如船十丈者玉井有十丈之闊如船者藕以船形今人誤以為蓮花有十丈之高藕有船之大不亦誤乎冷比雪霜甘比蜜贊藕如是之極美也一片入口沉痾痊沉痾痼疾也如今之癆瘵深病也痊愈也言有如是之疾食此藕即安也（說文）藕乃莖下白蒻在泥中者

和羹 已見前第九卷宰相類調鼎之下

紅塵 荔枝曰紅塵（唐）楊貴妃好食生荔枝置驛馬於閩中取讀七日夜有到長安閩中福建也長安陝西也人馬多

毙〔音敝○毙死也〕詩云一騎紅塵妃子笑無人知道荔枝來

洞庭霜

橘曰洞庭霜熟（坡寄韋詩）書後題三百顆〔書音〕〔信也三百顆王羲之帖云奉橘三百枚霜未降未可多得〕洞庭須待滿林霜〔言待霜降滿林之橘橘熟方可多取〕